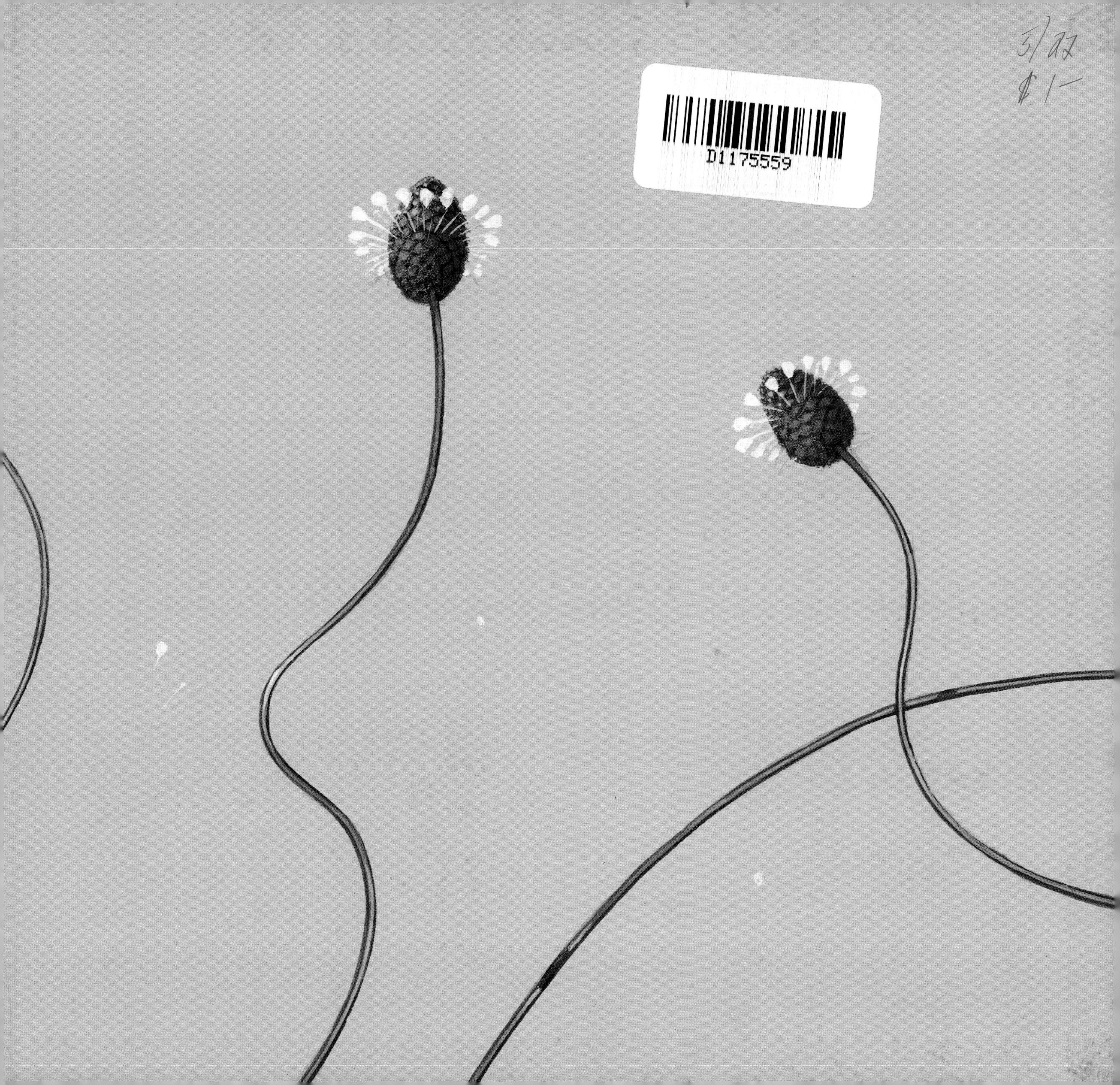

Pour Victoria. (D.P.)
Pour Carmen. (F.P.)

As-tu lu les Lulu ?

Albums cartonnés
Lulu Vroumette
L'arche de Lulu
Lulu et le loup bleu
Lulu a un amoureux
La maîtresse de Lulu a disparu
Le cirque de Lulu
Lulu, présidente !
Lulu et la cigogne étourdie
Lulu et l'ours pyjama
Lulu et le dernier des dodos
Lulu princesse
Lulu grand chef
Le grand concert de Lulu
L'extraordinaire voyage de Lulu
Bon anniversaire Lulu !
Lulu et le cheval qui danse
Lulu et le château des Quatre Saisons

Livres-cd
Lulu Vroumette
Lulu et le loup bleu
Le sapin de Noël de Lulu

Albums souples
Lulu Vroumette
La maîtresse de Lulu a disparu
Le cirque de Lulu
Lulu et la cigogne étourdie
Lulu et le dernier des dodos
Lulu a un amoureux
L'arche de Lulu
Lulu princesse
Lulu et l'ours pyjama

Je cuisine avec Lulu
Les recettes de Lulu la gourmande

www.magnardjeunesse.fr

Loi n° 49-956 du 16-07-1949 sur les publications destinées à la jeunesse.

Dépôt légal : août 2015 - N° éditeur : 2015/0226 - N° ISBN : 978-2-210-96117-3
Achevé d'imprimer en juillet 2015 par Pollina - L73288

Lulu fait l'école buissonnière

Daniel Picouly et Frédéric Pillot

Lulu fait son cartable pour partir à l'école.
Elle a tout : cahier, règle, ciseaux, colle,
trousse et surtout son meilleur crayon,
car, aujourd'hui… c'est rédaction !

En chemin, ses amis sont excités ou ont peur.
Rien-ne-sert a pris son porte-bonheur :
– Avec lui, je suis sûr d'être le premier !
– Ça ne sert à rien, il vaut mieux travailler.
Les porte-bonheur, les grigris, c'est de la triche !
– Toi, Lulu, tu as bien une gomme fétiche !

Sa gomme fétiche... Lulu l'a oubliée!
Elle vide son cartable pour vérifier.
– Où es-tu, jolie gomme en forme de cœur,
qui ôte mes fautes et corrige mes erreurs?
Vite, je dois aller la chercher!
Non, maman va me gronder.
Tant pis, je ferai plus attention
pendant la composition de rédaction.

Hélas, le temps de ranger son fourbi,
quand Lulu se relève, ses amis sont partis!

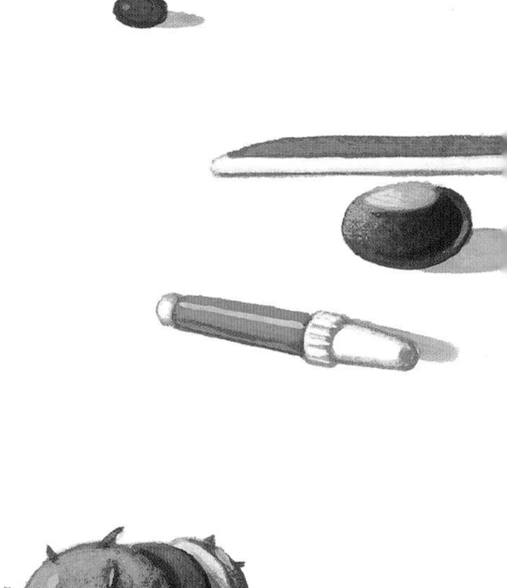

Lulu court comme une folle
pour être à l'heure à l'école.
Trop tard ! À son arrivée,
la porte est déjà fermée.
– Tiens, Minute le papillon, mon ami !
Tu ne vas pas en classe, aujourd'hui ?
– Moi ? Je ne veux pas me laisser enfermer.
Je préfère m'amuser, virevolter, butiner.
– Tu ne penses pas qu'apprendre à l'école rend meilleur ?
– Si, parfois j'aimerais connaître... le nom des fleurs.
Mais je préfère aller en liberté.
Lulu, crois-moi, tu devrais essayer !
– Joli papillon, je te donne raison !

Lulu cache son cartable dans un fossé.
Elle se sent libre et légère.
– Voyons, que vais-je faire ?
Rien ! Seulement me prélasser !
Écouter l'herbe pousser,
compter les moutons dans le ciel,
regarder la rivière couler,
me dire que la vie est bien belle,
suivre le vol des abeilles
et bâiller aux corneilles…
Sans école, que c'est bon la vie !
Et si j'en profitais pour voir du pays
et faire le tour de mes endroits préférés ?
Cela me paraît une très très bonne idée.

Lulu court à la mare pour se baigner.
Elle fait le canard, la grenouille, l'araignée…
– Oh, comme c'est bon, l'école buissonnière !
Mes amis, les pauvres, sont privés du bon air.
Dommage ! Frétillette la truite m'aurait éclaboussée.
Dommage ! Rien-ne-sert, lui, m'aurait fait couler…

Mais tout à coup, Lulu a des frissons.
Dans la mare, elle tourne en rond.
Elle a froid à ses petits petons.
– Et si j'allais à la tour de Ragon le dragon ?
Puisque je n'ai pas mes amis,
allons voir ailleurs si j'y suis !

Lulu s'en va à la tour de Ragon le dragon.
Elle fait grincer les marches du donjon.
– Oh, comme c'est excitant, l'école buissonnière,
pendant que mes amis font de la grammaire !
Dommage ! Les belettes auraient tout fait trembler.
Dommage ! Rien-ne-sert, lui, m'aurait poussée.

Mais tout à coup, Lulu a envie de vomir.
Elle a le vertige. Ça tourne, elle veut partir.
– Et si j'allais au Vieux Moulin ?
Ce serait bien plus malin.
Puisque je n'ai pas mes amis,
allons voir ailleurs si j'y suis !

Soudain, Lulu sent son petit bidon
qui grougrouille et fait des bonds.
– Qu'est-ce qui se passe, petit coquin ?
– C'est simple : j'ai faim, très faim !
– Tu as raison, petit bidon, il est midi.
Allons manger avec tous nos amis !

Ses amis ? Lulu les voit tous attablés,
au déjeuner que Dame l'Oie a préparé.
– Mais je ne peux pas partager leur repas...
On fait l'école buissonnière ou on ne la fait pas !
Alors, Lulu s'assoit sous un grand pommier
et raconte à son petit bidon
tout ce qu'il aurait dû manger.

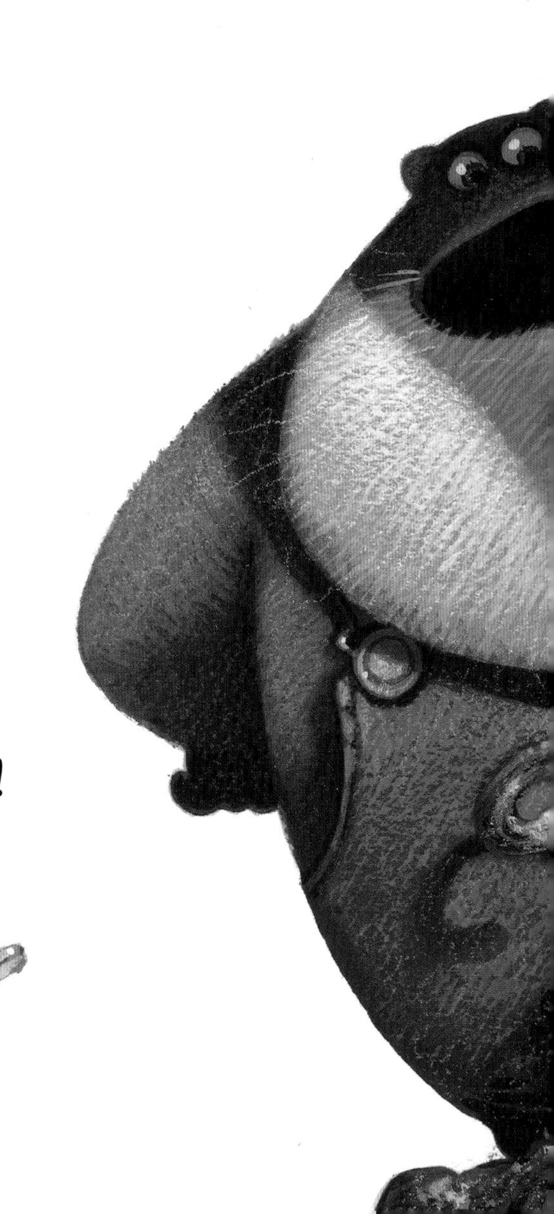

– Tiens, tu n'as pas classe aujourd'hui ?
Lulu sursaute, elle n'avait pas vu Brico.
– Euh... Si !... Enfin, non... En fait... Si !
– Alors, pourquoi es-tu sortie si tôt ?
– Moi, sortie ? Pas du tout... Pas vraiment...
– Lulu, mon petit doigt me dit que tu me mens.
– Il ne faut pas le croire, il raconte des sornettes.
– Nous en reparlerons, tout ça n'est pas bien net !

Lulu a honte. Elle a menti à Brico.
Et s'il croisait sa mère ?
Finalement, ce n'est pas si rigolo,
l'école buissonnière !

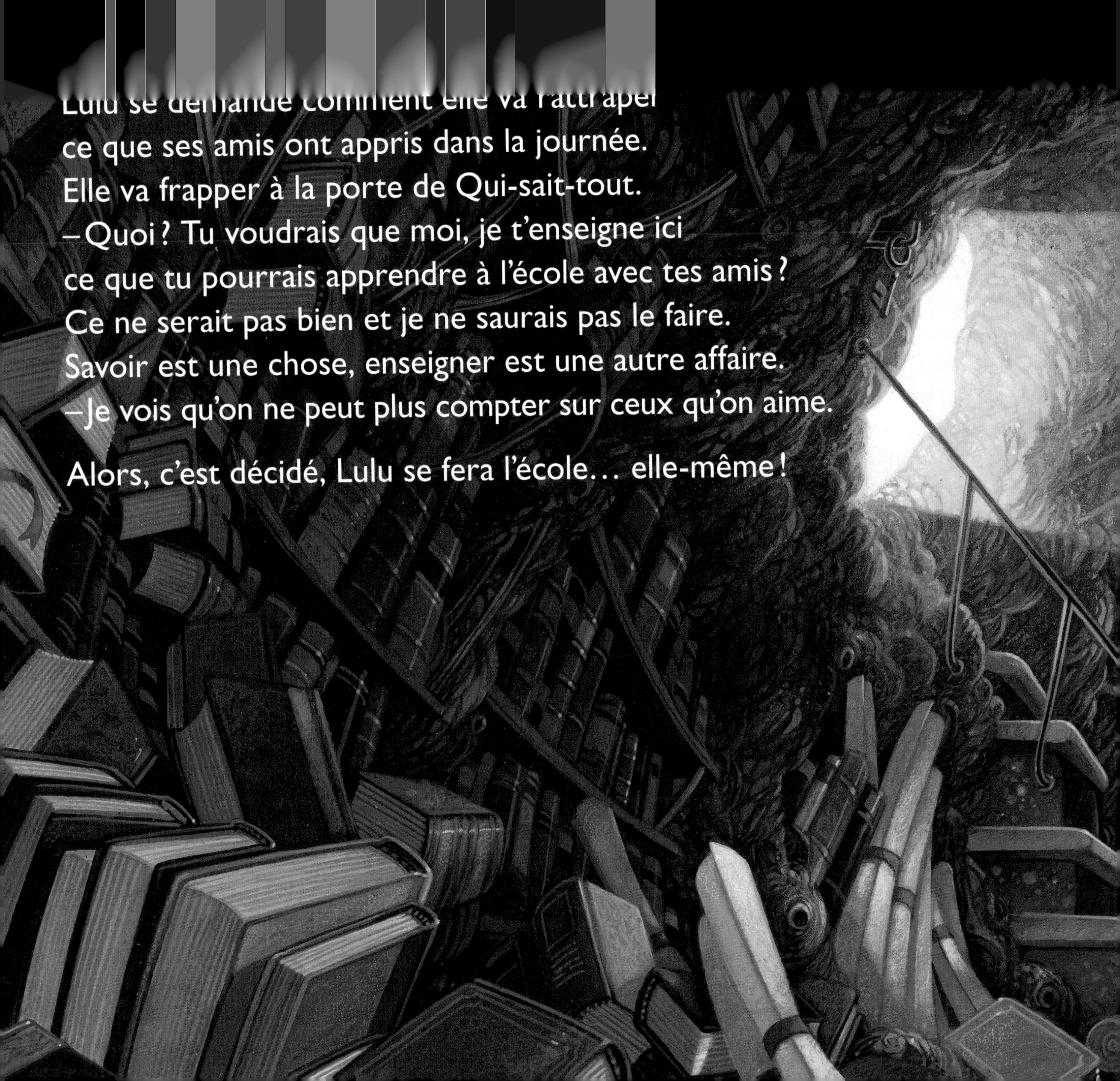

Lulu se demande comment elle va rattraper
ce que ses amis ont appris dans la journée.
Elle va frapper à la porte de Qui-sait-tout.
– Quoi ? Tu voudrais que moi, je t'enseigne ici
ce que tu pourrais apprendre à l'école avec tes amis ?
Ce ne serait pas bien et je ne saurais pas le faire.
Savoir est une chose, enseigner est une autre affaire.
– Je vois qu'on ne peut plus compter sur ceux qu'on aime.

Alors, c'est décidé, Lulu se fera l'école… elle-même !

Lulu se précipite au Pigeonnier Envolé
que tous les oiseaux ont abandonné.
Là, elle joue à « l'école à l'envers ».
Le bon élève est Rien-ne-sert,
Frou-Frou n'est pas très très sage,
les belettes le sont comme des images.

Mais la classe est vide, à l'exception de Cazanié,
le pigeon voyageur qui n'aime pas voyager.
– Pourquoi vouloir partir au loin à tout prix
alors qu'on a tout près ses meilleurs amis ?
– Merci beaucoup, gentil pigeon,
je te promets de retenir la leçon !

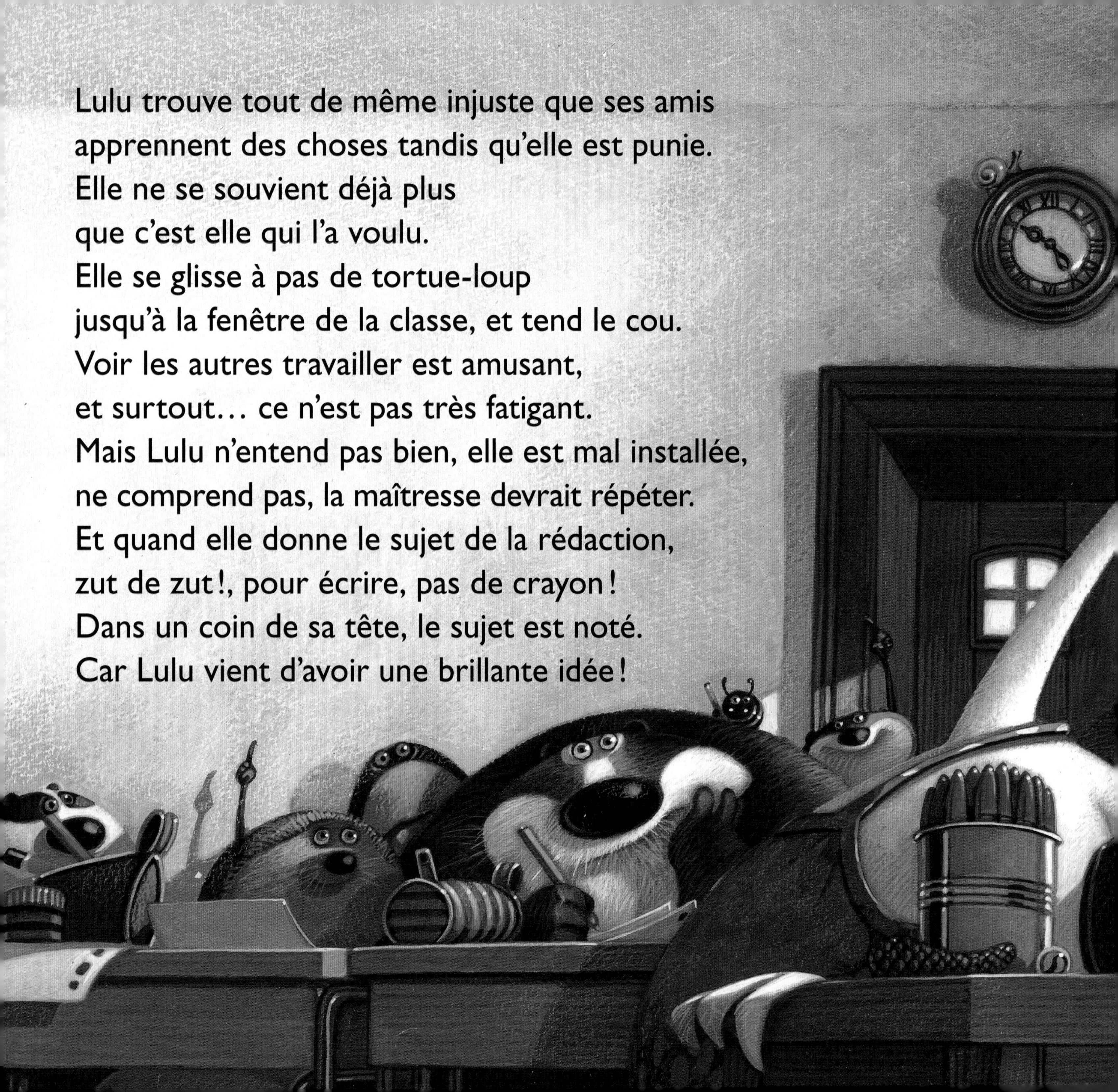

Lulu trouve tout de même injuste que ses amis
apprennent des choses tandis qu'elle est punie.
Elle ne se souvient déjà plus
que c'est elle qui l'a voulu.
Elle se glisse à pas de tortue-loup
jusqu'à la fenêtre de la classe, et tend le cou.
Voir les autres travailler est amusant,
et surtout… ce n'est pas très fatigant.
Mais Lulu n'entend pas bien, elle est mal installée,
ne comprend pas, la maîtresse devrait répéter.
Et quand elle donne le sujet de la rédaction,
zut de zut !, pour écrire, pas de crayon !
Dans un coin de sa tête, le sujet est noté.
Car Lulu vient d'avoir une brillante idée !

Lulu s'en va guillerette jusqu'au lavoir,
le plus bel endroit pour écrire une histoire.
En chemin, elle trouve une jolie plume d'oie,
des myrtilles, un gobelet et une planche en bois.
Du jus des myrtilles, Lulu fait une encre violette,
puis elle taille sa plume et nettoie sa planchette.
Elle écrit sa rédaction avec pleins et déliés,
mais surtout, plein, plein de bonnes idées.
Au bord de la rivière, elle met son histoire à sécher,
mais le vent coquin, pfffttt !, dans l'eau la fait tomber.
Malheur ! L'histoire a disparu.
Pauvre, pauvre petite Lulu !

Lulu est triste, et ça lui donne à nouveau faim.
Heureusement, son petit bidou se souvient
qu'au fond du cartable les attend un bon goûter.
Mais le cartable buissonnier a disparu du fourré...
Beaux-z'yeux la taupe est là, qui se prélasse.
Elle n'a rien vu hélas... Trois fois hélas !
– Mais je m'aperçois que tu manques la classe,
alors que tant aimeraient être à ta place.
– Tu changerais d'avis si tu avais des devoirs...
– Je préférerais ça que de vivre dans le noir.
– Merci, Beaux-z'yeux,
grâce à toi, j'y vois mieux.

Lulu s'aperçoit que ce n'est pas pratique
d'effacer une bêtise sans gomme magique.
Comment rentrer sans son cartable à la maison ?
Sa maman va lui poser mille et une questions.
Difficile d'inventer mille et deux menteries
et d'en trouver de nouvelles pour ses amis.
Et la maîtresse ? Impossible de lui raconter des histoires…
Elle nous voit l'intérieur et le dehors comme dans un miroir.
Toutes ces questions tintent dans la tête de Lulu, à la rendre folle.
Non ! Ce qui sonne à toute volée, c'est déjà la cloche de l'école !
La journée est finie.
Voilà ses amis !

Ils l'entourent et la pressent de raconter.
– Euh... C'était formidable ! Fantastique !
– Mais qu'est-ce que tu as fait de ta journée ?
– Des choses formidables... Des trucs fantastiques...
– Et nous ? Rien d'extraordinaire. On a juste découvert une table de multiplication, des océans et des mers, des mots de vocabulaire, un secret en histoire, toutes les sortes de pommes et de poires, les mauvais et les bons champignons, comment fabriquer une lanterne en crépon...

Lulu est désespérée. Elle n'a rien fait de tout ça. Rien ! Vraiment, l'école buissonnière, ce n'est pas si bien.

Lulu doit maintenant rentrer à la maison
où l'attend sûrement une grosse punition.
De sorties, c'est sûr, elle va être privée.
Ses petites fesses risquent même de chauffer.
Mais tant pis, c'est ainsi quand on fait une bêtise.

Elle va dans sa chambre, et là, quelle surprise !
Sur son bureau, un mot et son cartable sont posés
avec sa gomme magique et un crayon bien taillé.
C'est un mot de la maîtresse : « Travail supplémentaire :
imaginez et racontez une journée d'école buissonnière. »

Minute le papillon entre en papillonnant de bonheur :
– Demain, avec toi, je vais tout droit
à l'école apprendre le nom des fleurs !

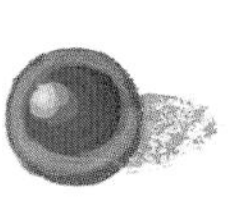

Travail Supplémentaire:

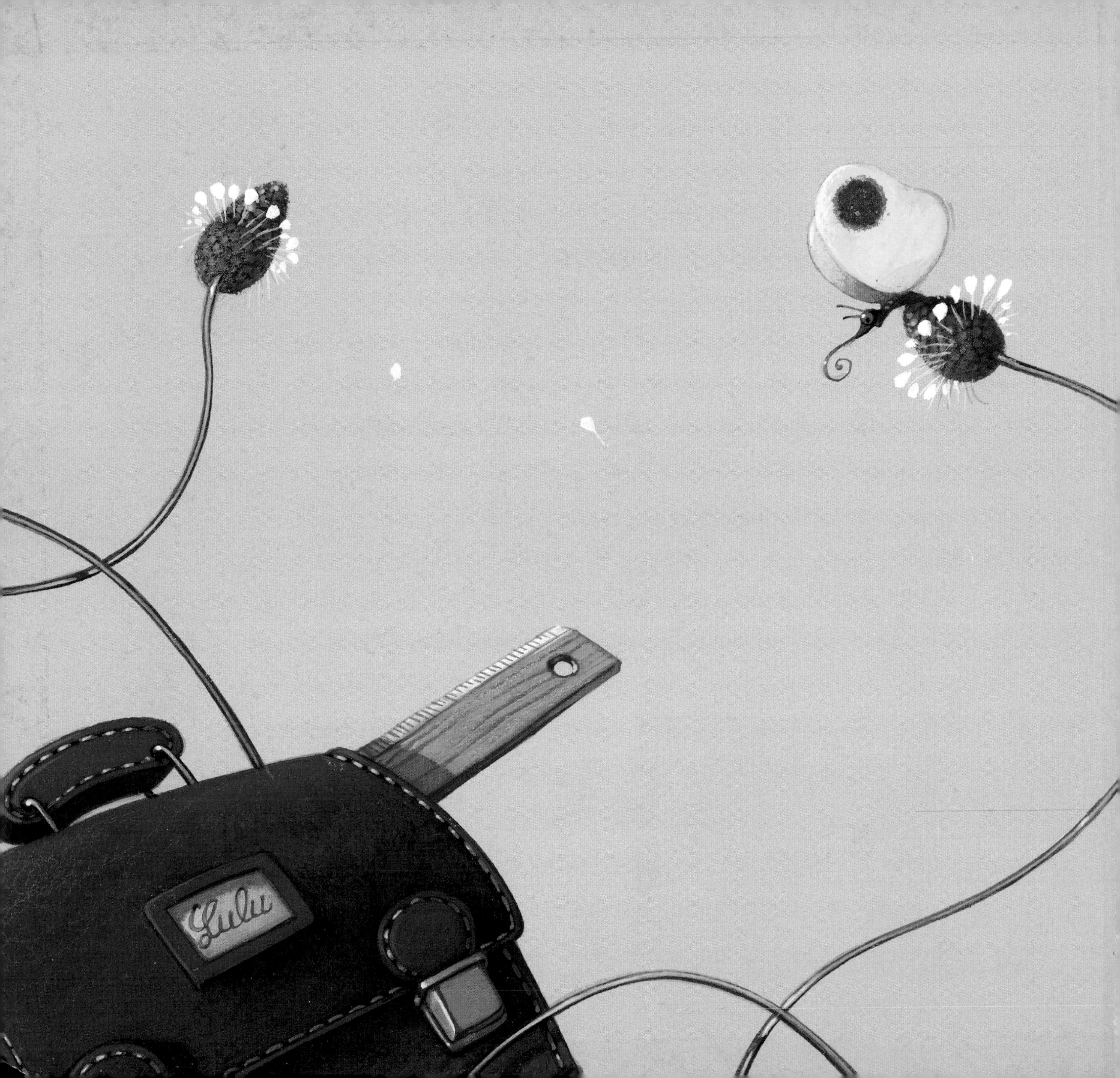
Lulu